劉福春・李怡 主編

民國文學珍稀文獻集成

第一輯

新詩舊集影印叢編　第46冊

【劉大白卷】

秋之淚

上海：開明書店 1930 年 1 月版

劉大白　著

花木蘭文化出版社

國家圖書館出版品預行編目資料

秋之淚／劉大白　著 -- 初版 -- 新北市：花木蘭文化出版社，2016
〔民 105〕
230 面；19×26 公分
（民國文學珍稀文獻集成・第一輯・新詩舊集影印叢編　第 46 冊）
ISBN：978-986-404-622-5（套書精裝）
831.8　　105002931

ISBN-978-986-404-622-5

民國文學珍稀文獻集成・第一輯・新詩舊集影印叢編（1-50 冊）
第 46 冊

秋之淚

著　　者　劉大白
主　　編　劉福春、李怡
企　　劃　首都師範大學中國詩歌研究中心
　　　　　北京師範大學民國歷史文化與文學研究中心
　　　　　（臺灣）政治大學民國歷史文化與文學研究中心
總 編 輯　杜潔祥
副總編輯　楊嘉樂
編　　輯　許郁翎
出　　版　花木蘭文化出版社
社　　長　高小娟
聯絡地址　235 新北市中和區中安街七二號十三樓
　　　　　電話：02-2923-1455／傳真：02-2923-1452
網　　址　http://www.huamulan.tw 信箱 hml 810518@gmail.com
印　　刷　普羅文化出版廣告事業
初　　版　2016 年 4 月
定　　價　第一輯 1-50 冊（精裝）新台幣 120,000 元

秋之淚

劉大白 著

開明書店（上海）一九三〇年一月初版。原書三十二開。影印所用底本封面缺。

秋之淚

劉大白著

上海
開明書店

花閒之羣

花間

醉向落花堆裏臥：
東風憐我，
更紛紛亂紅吹墮，
碎玉零香作被窩。

愛花不過，
夢也花間做，
醒來不敢把眼摩挲，
正一雙胡蝶眉心坐。

〔2〕

一九二二，四，一〇，在白馬湖。

〔3〕

不住的住

一座洞橋底橋洞下：
一帶很長的竹排，
向東過著；
一個撐竹排的，
在橋洞下，竹排上，
雙手撐住一條竹篙，
拄在橋洞傍石縫裏，
一步一步地向西跨著。
竹排兒儘向東過，

〔4〕

腳步兒儘向西跨；
人身兒卻儘在——
洞橋底橋洞下。

*

不努力嗎？——
眦儘努力著。
不前進嗎？——
眦儘前進著。
為甚一步一步地努力前進的眦，
儘在洞橋底橋洞下？

一九二二，八，一四，在廬山舟中。

〔5〕

西湖秋泛（一）

蘇堤橫亘白堤縱：
橫一長虹，
縱一長虹。

*

跨虹橋畔月朦朧：
橋樣如弓，
月樣如弓。

*

青山雙影落橋東：

〔 6 〕

南有高峯，
北有高峯。
＊
雙峯秋色去來中：
去也西風，
來也西風。

一九二二，八，一六，在杭州。

［7］

西湖秋泛(二)

厚敦敦的軟玻璃裏，
倒映著碧澄澄的一片晴空：
一疊疊的浮雲，
一羽羽的飛鳥，
一彎彎的遠山，
都在晴空倒映中。

*

湖岸的，
葉葉垂楊葉葉楓：

〔8〕

湖面的，
葉葉扁舟葉葉篷：
掩映著一葉葉的斜陽，
搖曳著一葉葉的西風。

一九二三，八，一六，在杭州。

秋燕

雙燕在梁間商量著：
『去不去？
去不去』？

*

她說：
『不要去！
不要去』！
牠說：
『不如去！

〔10〕

不如去』！

*

最後，同意了：
『一齊去！
一齊去』！

*

雙燕去了，
把秋光撤下了。

一九二三，八，一六，在杭州。

斜陽

雲——一疊疊的，
打算遮住斜陽；
然而漏了。

*

教雨來洗吧，
一絲絲的；
然而水底也有斜陽。

*

黃昏冷冷地說：

〔12〕

『理它呢，
斜陽罷了』！

＊

不一會兒，
斜陽倦了，
——冉冉地去了。

一九二三，八，一七，在杭州。

歸夢

枕頭兒不解孤眠苦，
驀逗起別離情緒；
相思何處訴，
向夢裏別尋歸路。

*

雖則軟魂如絮，
復水重山攔不住；
和風和雨，
飛過錢塘去。

〔14〕

一九二二，八，二二，在杭州。

答惡石先生底讀秋之淚

讓秋之淚獨流吧！
淚不許，
秋也不許。——
我也知秋之淚是不獨流的。

*

我也知秋之淚是不獨流的。
說是偶然，
偶然的淚多著哩，
何必讀秋之淚？

〔16〕

不忍秋之淚獨流的，
最是鏡中人。
你是鏡中人嗎，
讀秋之淚而流淚的？

*

我不是鮫人，
我只是淚人——秋之淚人。
淚人流淚，
是我底分內。

*

人都是有淚種的，

〔17〕

不過不都是情種罷了。
不是情種，
怎能下同情之淚呢？

*

與其說血淚是夕陽似的，
不如說血淚是洪水似的。
洪水似的血淚，
才染得紅大地呀！

*

淚如果忍得回去，
秋之淚也可以不作了。
淚即使忍得回去，

〔18〕

愛也不能借秋之淚而表現了。

*

長虹是脆弱不過的，
一轉瞬就滅了。
不如淚受秋陽熱力而狂沸時，
也許能使魑魅罔兩就烹呢！

*

如果海非淚所成，
怎地和秋之淚同味呢？
有海可歸，
秋之淚所以不能不流了。

*

我也知秋之淚是不獨流的。
沒有同情之淚，
只是獨流，
到底不能成海呵！

＊

假如秋之淚果然獨流了，
倒是一個奇蹟！
然而秋之淚總多少帶幾分磁性的，
哪許獨流呢？

＊

淚下，
只是肉底本能；

〔20〕

能使秋之淚下，
卻是靈底本能。

*

不是心靈相見，
不能使秋之淚不許獨流的。
心靈怎能相見？
就從秋之淚中相見呵！

一九二二，九，一，在廬山。

讀秋之淚(附)

惡石

秋之淚喲，
這眞是詩人之淚的結晶喲！
淚成了海，
海中還有鮫人在；
這鮫人怕莫就是詩人的化身喲！
可惜你底珠淚，
對這塵世中沒有淚種的人揮灑，
他們怎能傾瀉同情的淚喲！

〔22〕

你底淚若是盡了，
將把甚麽來流呢？
血嗎？
血是和夕陽一樣的顏色，
到得夕陽鮮紅燦爛時，
大地便要沉默，
人間一切都要黑暗了！
眶中雖沒有淚鬧，
我要忍我的淚——極力地忍，
使淚回到它底源頭——愛底源頭，
更化作長虹。
長虹可以貫日，

日在世界久了，
失掉許多光熱，
經一番撞擊，
或許破裂震動延燒，
燒去人世間的罔兩魑魅吧。
要是我有忍不盡忍不住的淚，
衝破意志的閘而流些子出來，
那麼，
共流到秋之淚所流的大海中去喲！

〔24〕

洪水

幾疊的雲幾滴的雨罷咧，
然而洪水來了。

＊

一度兩度三四度，
舊的未退，
新的又漲了！

＊

田沈了，
稻浸爛了；

路沒了，
屋衝坍了。

＊

人也漂流去，
倒也罷了；
剩下這沒飯喫沒屋住的人們，
是洪水底洪恩嗎？

＊

浸爛了稻，
衝坍了屋，
不過今年沒租收罷咧。
人也漂流去，

〔26〕

誰向財主們還明年的租呢？

*

人不漂流去，
不是洪水底洪恩，
還是財主們底洪福啊！

*

洪水為災，
今年的災罷咧，
然而明年的洪水也早來了。

*

明年的漕，
今年借了；

沒飯喫沒屋住的人們，
別只怨今年的洪水呵！

*

一度兩度三四度，
還有預支明年的第五度呢。
今年的洪水未退，
明年的洪水又早漲了！

一九二二，九，一四，在蕭山。

〔28〕

如此

如此，
只合如此嗎？
誰教如此儘如此呢？

*

『向來如此，
只得如此』。
誰教向來儘如此呢？

*

『大家如此，

只得如此』。
誰教大家儘如此呢？

＊

『不如此，
就是叛逆』。
對於誰叛逆呢？

＊

縱的——歷史，
橫的——環境，
縱橫之間的我呢？

＊

叛逆的，

〔30〕

與其說是天才，
不如說是『我』底不敢埋沒。

*

向來有向來底如此，
大家有大家底如此，
我也有我底如此。

*

我底如此，
從向來和大家底墳墓中逃出來：
叛逆嗎？——
自救罷咧！

一九二二，九，一五，在蕭山。

秋之別

秋風也不回頭，
秋水也不回頭，
只愛送將人去海西頭。

*

前夜也月如鈎，
昨夜也月如鈎，
今夜偏偏無月上簾鈎。

*

人去也倦登樓，

〔32〕

月黑也倦登樓，
卻怕歸魂飛夢墮層樓。

一九二三，九，二〇，在蕭山。

債

重重地緊緊地壓住我肩頭的，
是甚麼呢？——
債呵！

＊

有主的債，
是還得了的；
無主的債，
還得了嗎？

＊

〔34〕

做一天人，
還一天債，
欠一天債，
除死方休吧！

*

死了，
休了，
債也許依然不了咧！

*

還有來生嗎？——
來生怎了得今生債呢？
試看今生，

又何曾了得前生債呢？

＊

今天也許有明天，
今生還只是今生；
今天分明有昨天，
今生卻只是今生。

＊

且莫管——
今生怎了前生債；
更莫管——
來生再了今生債！

一九二二，九，二四，在蕭山。

〔36〕

土饅頭

『城外多少土饅頭，
城中都是饅頭餡』。

饅頭呵，
土越貴，餡越賤了！

*

充不得飢的土饅頭，
一天天一年年地增添，
快占盡了小小蒸籠裏的土片；
將來拿甚麼養活那饅頭餡？

一九二二，九，二四，在蕭山。

〔38〕

黎明之歌

熹微的晨光裏，一隻小鳥，從白漫漫的宿霧裏飛來，坐在玫瑰花最高的枝上，開始唱那小曲——稱爲黎明之歌的，彷彿在喚醒那沈睡的姊妹們。

*

『黎明了，起來啊！　黎明了，自己起來啊！　喚得醒的，自己起來啊！　能自己起來的，才喚得醒啊！

『黎明了，起來啊！　夢之甜蜜的誘惑，總不如醒之光明的勉勵啊！　喚之倚賴的警覺，總不如醒之抵抗的奮興啊』！

小鳥兒這樣宛轉地唱著。

*

玫瑰花從歌聲裏羞了，紅著臉兒說：『我努力開了這麼些花，把破夢的香塵，從侵曉的微風裏送入冪著輕紗的窗櫺，穿過垂著薄羅的牀頭，透進她們微微地吐著鼾聲的鼻覷，這樣很強烈的刺戟，也儘足使貪睡的她們醒來了。甚麼黎明之歌呀？我不解你底話哩！讓你唱著吧，我也不再開這無益的花了』！玫瑰花羞而且惱了，週身密排著很鋒利的刺兒，也都緊張起來了。

*

小鳥兒從微笑裏太息著說：『諷抑的謳歌，不幸而竟成狂妄的譏刺了！猜疑嗎？——不是吧！嫉妒嗎？——不是吧！驕傲嗎？——不是吧！玫瑰花呀！自身太矜貴了！自身底作業，看得太矜貴了』！

一九二二，九，二五，在廬山。

冬夜所給與我的

涼秋的微風，
拂著——輕輕地，
卻深深地沁我骨了。

*

殘夜的微月，
映著——淡淡地，
卻深深地醉我心了。

*

遙空的微雲，

〔42〕

裊著——疏疏地，
卻深深地移我情了。

*

清流的微波，
皺著——淺淺地，
卻深深地動我魄了。

*

輕輕地，淡淡地，疏疏地，淺淺地——
她表現的風格是那樣；
深深地——
她給與的印象怎又是這樣呢？

一九二二，九，二八，在紹興。

汽船中的親疏

不滿二丈長六尺闊的一間小艙裏，
團坐著二十多個的旅客：
你擠著我；
我擠著他；
他擠著她；
她擠著他們：
緊緊地擠著——
有甚麼吸引著似的，
好親切啊！

〔44〕

*

不滿四尺長二尺闊的兩張小桌下，
亂堆著三十多件的行李：
你的壓著我的；
我的壓著䊀的；
䊀的壓著她的；
她的壓著他們的：
密密地壓著——
有甚麼牽合著似的，
好親切啊！

*

當船開著的時候，

旅客們相互環顧了：
你瞅著我；
我瞅著牠；
牠瞅著她；
她瞅著他們：
冷冷地瞅著——
有甚麼間隔著似的，
好疏遠啊！

*

當船停著的時候，
行李們開始告別了：
你的離著我的；

〔46〕

我的離著馳的；
馳的離著她的；
她的離著他們的：
紛紛地離著——
有甚麼驅遣著似的，
好疏遠啊！

一九二二，九，二八，在蕭紹汽船中。

整片的寂寥

整片的寂寥，
被點點滴滴的雨，
敲得粉碎了，
也成為點點滴滴的。

*

不一會兒，
雨帶著寂寥到池裏去，
又成為整片的了；
寂寥卻又整片地回來了。

〔48〕

一九二二，九，二八，在紹興。

包車上的奇蹟

丁——當——
包車底鐘兒打著。
回頭一看：
一個短衣赤足的坐著，
一個短衣赤足的拉著；
坐著的笑著，
拉著的也笑著：
牠們以為這是一個奇蹟哩！（註）

*

〔50〕

奇蹟嗎？——
不算吧！
短衣赤足的坐著，
長褂皮鞋的拉著，
許是一個奇蹟哩！
這也不算吧；
誰也不坐人拉的車，
誰也不拉人坐的車，
這才是一個奇蹟哪！

（註）這是八月間在杭州所見，現在從記憶的印象裏寫出來。

一九二二，九，二九，在紹興。

〔51〕

腰有一匕首

腰有一匕首，
手有一樽酒；
酒酣匕首出，
仇人頭在手。

*

匕首復我仇，
樽酒澆我愁；
一飲愁無種，
一揮仇無頭。

〔52〕

匕首白如雪，
樽酒紅如血；
把酒奠匕首。
長嘯暮雲裂。

一九二三，九，二九，在紹興。

謝T·H的信

T·H，

你在愛我，
我也明知你在愛我，
我也似乎感激你底愛我；
然而我是有戀人的呢。
慚愧我這狹窄的心宮，
容不了兩個戀人：
已經住下了一個戀人——她，
再也住不下第二個戀人——你了。

〔54〕

恕我吧，
我不能接受你底愛——
不，我也不願接受你底愛呀！

*

我已經接受了她底愛，
她已經住在我底心宮裏了；
她已經接受了我底愛，
我也已經住在她底心宮裏了。
心宮裏住著她的我，
才配住在她底心宮裏；
我怎能心宮裏住了你，
卻去住在她底心宮裏呢？

恕我吧，
我不能轉移我底愛——
不，我也不願轉移我底愛呀！

*

我不願接受你底愛，
正如她底不願接受誰底愛；
我不願轉移我底愛，
正如她底不願轉移她底愛。
卽使你願住在我底心宮裏，
我怎能不留她住在我底心宮裏呢？
卽使你可以和她同住在我底心宮裏，
我怎能同時分住在兩人底心宮裏呢？

〔56〕

恕我吧，
我不能擘分我底愛——
不，我也不願擘分我底愛呀！

*

如果說你愛我是你底自由；
然而我不愛你也是我底自由呀，
我愛她也是我底自由呀，
我和她互愛更是我倆底自由呀！

戀愛底自由，
是戀人間人格合一的自由；
片戀的不但只表現戀愛底片面，
也只表現自由底片面呢！

恕我吧，
算我不成全你底自由吧，
算我不讓你侵犯我倆合一的自由吧！

*

如果你不知道我是有戀人的，
你底愛不過是錯誤；
如果你明知我是有戀人的，
你底愛不免是罪惡了。
在互愛中再有所愛，
是對於貞操的叛逆；
於互愛間再參以愛，
也是對於貞操的擾亂呀！

〔58〕

恕我吧，
算我只尊重我底貞操吧，
算我不願將貞操酬答你底愛吧！

*

這是一個引誘呵，
使我明知你在愛我；
這是一個離開呵，
使我似乎感激你底愛我！
然而你不能從我底心宮裏侵入你底愛，
你也不能從你底心宮裏吸收我底愛；
你不能從我底心宮裏逐去了我底她，
你更不能從她底心宮裏劫取了她底我呀！

恕我吧，
算你浪費了你底愛吧，
算我孤負了你底愛吧！

*

愛底給予，
似乎是奇恩異寵哩；
愛底拒絕，
似乎是嚴刑峻罰哩。
然而濫施的恩寵，
是只能換得自取的刑罰的呀！
你底恩寵是濫施了，
你底刑罰是自取了！

〔60〕

恕我吧，
願你收回了你濫施的恩寵吧，
願你避免了你自取的刑罰吧！

*

說我無情，
我可不是無情；
說我有情，
我對你可不是有情。
如果從無情到有情，
我對得起你——可對不起她了；
如果從有情到無情，
我對不起她——也就是對不起你了。

[61]

恕我吧，
願你無情吧！
願你能我也似地無情吧！

*

戀人是不可無一不能有二的哪！
我這本來空虛的心宮裹，
已經住下一個戀人了；
我底心宮充滿了，
我底心宮之門鎖閉了。
你底愛影不能投入我底心宮了，
你底愛鑰不能開我心宮之門了。
戀人是不可無一不能有二的哪！

〔62〕

怨我吧，
願你別尋空虛的心宮去吧，
願你別尋不曾鎖閉的心宮之門去吧！

*

再決絕地說吧：
卽使我還沒有戀人，
啓我心宮之鎖的，
也未必就是你底愛；
卽使人們眞有來生，
我也不願說甚麼來生空虛著心宮，
再準備容納你底愛。
你也不必恨甚麼相逢何晚，

你也不必望甚麼來生可卜呀！
恕我吧，
算咱倆都是有情人，
咱倆可都不是有緣人哩！

一九三二，一一，二，在白馬湖。

〔64〕

紅樹

謝自然好意，
幾夜濃霜，
教葉將花替！

*

算秋光不及春光膩；
但秋光也許比春光麗；
你看那滿樹兒紅豔豔的！

一九二二，一一，三，在白馬湖。

[65]

月下的相思

寫眞鏡也似的明月，
把咱倆底相思之影，
一齊攝去了。

＊

從我底獨坐無眠裏，
明月帶著她底相思，
投入我底懷抱了。
相思說：
『她也正在獨坐無眠呢』！

〔66〕

*

只是獨坐無眠，
倒也罷了；
叵耐明月帶著我底相思，
又投入她底懷抱！

*

爲甚使我也獨坐無眠，
她也獨坐無眠？
搬運相思的明月呵！
答謝你的，
該是謳歌呢，
還是咒詛？

一九二二，一一，三，在白馬湖。

〔68〕

雪

耀花人眼睛的：
銀子也似的白，
米粉也似的白，
棉花也似的白。

*

如果這些眞是銀子，
窮的都要搶著使了。——
啊，輪不到窮的，
金錢富有的早搶著盤到庫裏去了。

〔69〕

＊

如果這些眞是米粉，
餓的都要搶著喫了。——
啊，輪不到餓的，
酒肉醉飽的早搶著囤到倉裏去了。

＊

如果這些眞是棉花，
凍的都要搶著穿了。——
啊，輪不到凍的，
狐裘輝煌的早搶著堆到棧裏去了。

＊

盤在庫裏的，

〔70〕

囤在倉裏的，
堆在棧裏的，
怎不雪也似地徧地鋪著呢？

一九二三，一二，六，在蕭山。

〔71〕

時代錯誤

至少吧，——時代錯誤吧，
這是個百年以後的人。
一個百年以後的人，
回到百年前的今日，
伴著些墟墓間的行屍走肉，
怎得不寂寞而煩悶呵！

一九三三，一二，一三，在杭州。

〔72〕

不肖的一九二三年

一九二二年底遺囑說：
『一九二三年呵！
你雖然是我底兒子；
但是我願你別再像我！
　我希望你別再作我底肖子了！
我是個不長進的老子呵』！

*

一九二三年說：
『我也很不願作你底肖子呢。

〔73〕

然而你所遺傳給我的
不長進的血輪，
不是太多了嗎？
你所遺留給我的——
不長進的環境，
不是太難了嗎？

*

『不但你的：
你以前的——
一切不長進的血輪，
都遺傳給我了；
你以前的——

〔74〕

一切不長進的環境，
都遺留給我了。

*

『不長進的血輪，
充滿著吾身以內；
不長進的環境，
圍繞著吾身以外：
怎地教我能長進呢？
怎地教我不像你底不長進呢？
怎地教我不像你以前的一切的不長進呢？

*

『向前努力奮鬭的我：

惰性發作了，
被不長進的血輪牽掣著；
阻力發生了，
被不長進的環境壓迫著。
呵！別再作你底肖子嗎？——
你對於我的期望多麼厚，
然而你所給與我的障礙多麼重啊！

*

『然而我是絕不願作你底肖子的。
我很願廓清我底血輪——一切遺傳的血輪，
創造新生的血輪！
我很願摧陷我底環境——一切遺留的環境，

〔76〕

創造新生的環境！
我很願把不長進的血輪，化作你送死的犧牲！
我很願把不長進的環境，化作你殉葬的芻靈！
好容我盡這不肖子底責任！

一九二三，一二，三一，在蕭山。

〔77〕

白天底蠟燭

白天哪，
爲甚麼點起蠟燭來呢？

*

我也知是白天哪，
但是我怎地瞧不見人影呀！

*

哦，黑暗之幕，
罩住了白天之面了！

*

〔78〕

點起蠟燭來，
也許透過黑暗之幕而見到幾個人影吧。

＊

不錯，
燭光裏閃動著的是些甚麼啊？

＊

許是人影吧，
前途似乎有幾個哪。

＊

前途——只有前途，
似乎有幾個人影。

＊

然而殘燭得很啊，
燭光畢竟微弱呢！

一九二三，一，一二，在杭州。

〔80〕

成虎不死

成虎，
一年以來，
你底身子許是爛盡了吧。
然而你底心是不會爛的，
活潑潑地在無數農民底腔子裏跳著。

*

假使無數農民底身子都跟著你死了，
田主們早就沒飯喫了；
假使無數農民底心都跟著你底身子死了，

田主們卻都可以永遠喫安穩飯了。

然而不會啊！

*

田主們多喫了一年安穩飯，

卻也保不定還能再喫幾年的安穩飯。

你底身死是田主們底幸，

你底身死心不死，

正是田主們底不幸啊！

一九二三，一，二四，在杭州。

〔82〕

假妝頭白的青山

青山，
你羨慕人們的白頭人嗎？
也假妝起頭白來了。

＊

一輪紅日，
消磨了你假妝的白髮，
怕不還你個青春年少。

一九二三，二，五，在蕭山。

耶和華底罪案

耶和華眞多事啊！
粗製濫造些畸形的人類出來。
耶和華眞多事啊！
粗製濫造了一個畸形的亞當，
還要粗製濫造出一個畸形的夏娃來。

*

耶和華眞多事啊！
粗製濫造了畸形的亞當夏娃，
還要使他們粗製濫造些畸形的男男女女出來。

〔84〕

*

自從耶和華一番多事，
畸形的男男女女底交涉，
再也打不清了。

*

多事的耶和華呵！
如果眞有末日審判，
這正是你數不清的罪案呵！

一九二三，二，六，在蕭山。

[85]

雪後晚望

戴著殘雪的青山，
別嫌遲暮吧！
明媚的晚霞，
正對著你微笑呢。
消受得晚霞底一笑，
也不必抱怨殘雪了！

一九二三，二，六，在蕭山。

〔86〕

醉後

醒也不尋常，
醉更清狂，
記從夢裏學荒唐；
除卻悲歌當哭外，
哪有文章？

*

都要淚揩當，
淚太匆忙。
腹中何止九迴腸？

多少生平恩怨事，
子細評量。

一九二三，二，六，在蕭山翔鳳。

〔88〕

送斜陽

又把斜陽送一回，
花前雙淚爲誰垂？——
舊時心事未成灰。

*

幾點早星明到眼；
一痕新月細於眉：
黃昏値得日徘徊！

一九二三，三，一九，在紹興。

花前的一笑

沒來由呵，
忽地花前一笑。
是爲的春來早？
是爲的花開好？
是爲的舊時花下相逢，
重記起青春年少？——
都不是呵，
只是沒來由地一笑。

*

〔90〕

爲甚不遲不早，
恰恰花前一笑？——
靈光互照，
花也應相報。
悄悄，
沒個人知道。
到底甚來由？
問花也不會了了。

一九二三，三，二〇，在紹興。

春半

春來花滿；
花飛春半：
花滿花飛，
忙得東風倦。

*

開也非恩，
謝也何曾怨？
冷落溫存，
花不東風管。

一九二三，三，二一，在紹興。

生命之泉

生命之泉，
從滿汲的生命之瓶裏瀉洩了。——
不，也許是盈溢哩。

*

瀉洩也罷，
盈溢也罷，
總之生命之泉不安於生命之瓶了。

*

已經春半了，

[94]

花開無幾，
也太寂寞啊！
於是血花忍不住——飛濺了。

*

眼底的淚鬧，
不會閉得；
喉間的血鬧，
卻又閉了。

*

人都說「紅是可愛的」；
猩紅的血，
爲甚使人可怕呢？

＊

滔滔滾滾的血浪，
染紅了大地，
倒也能了；
可惜只是斑斑點點的！

＊

未吐的時候，
血是我的；
已吐的時候，
血還是我的嗎？

＊

離開了生命之瓶，

〔96〕

就不是生命之泉了；
減少了生命之泉，
快要不成爲生命之瓶了。

*

泉和瓶脫離了，
兩者都不成爲生命；
那麽，生命畢竟是甚麽呵？

一九二三，三，二四，在紹興。

〔97〕

門前的大路

門前的大路，
你儘躺在地下，
讓千千萬萬人踐踏著，
不太辛苦嗎？
站起來歇息一下吧！

*

大路呵，
你試試看！
如果站起來，

比青山還高呢，
何苦這樣埋沒著呵？

＊

『我本來站著的；
站得不耐煩了；
才躺下來歇息著。
而且我不躺下，
千千萬萬人無路可走呢』。

＊

不，光明是在站著的路上的；
躺著的路上，
前途得不到光明。

梯子也似地站起來吧，
從向上的路上給與我們光明呀！

一九二三，三，二六，在紹興。

〔100〕

春意

一隻沒篷的小船，
被曖溶溶的春水浮著：
一個短衣赤足的男子，
船梢上划著；
一個亂頭粗服的婦人，
船肚裏槳著；
一個紅衫綠褲的小孩，
被她底左手挽著。

*

他們一前一後地划著槳著，
　嘈嘈雜雜地談著，
　嘻嘻哈哈地笑著；
小孩左迴右顧地看著，
　癡癡憨憨地聽著，
　咿咿啞啞地唱著；
一隻沒篷的小船，
從一划一槳一談一笑一唱中進行著。

＊

這一船裏，
充滿了愛，
充滿了生趣；

〔102〕

不但這一船裏，
他們底愛，
他們底生趣，
更充滿了船外的天空水底：
這就是花柳也不如的春意！

一九二三，三，二九，在蕭山舟中。

夢之懷疑

也許枕頭邊，
是夢來時路；——
挨向枕頭邊，
夢也無尋處。

*

夢裏果相逢，
我準留她住；——
夢裏便相逢，
留也無憑據。

〔104〕

一九二三，四，一三，在紹興。

春寒

春寒如此，
憔悴的我，
荏弱的花，
一齊知道；——
也許春卻不曾知道。

*

爲甚春寒如此？
懵懂的我，
伶俐的花，

〔106〕

一樣不曾知道；——
也許只有春知道。

*

彷彿嫌春太早，
彷彿嫌春易老；
料峭的風，
廉纖的雨，
都借作春寒材料。

*

我還睡覺衾單，
起驚衣少；
禁不起呵，

何況赤條條，
第一防花病倒！

一九二三，四，一四，在紹興。

〔108〕

春雨

均匀呵，
春雨；
然而爲甚不曾霑潤到——
我這枯燥的心上？

*

輕細呵，
春雨；
然而脆弱的花心，
卻嫌你重了。

*

繁碎呵，
春雨；
然而獨坐無眠的我，
卻只得到異樣的寂靜。

一九二三，四，一六，在紹興。

〔110〕

得到……了

得到黑暗了，
從光芒四射的電燈光下。

*

得到貧乏了，
從燦爛奪目的黃金窟裏。

*

得到孤寂了，
從肩摩轂擊的人海中。

一九二三，四，一六，在紹興

故鄉

山也依舊，
水也依舊，
城市也依舊，
村鎮也依舊；
只覺從這些『依舊』中，
缺了些甚麼，
多了些甚麼。
*
不相識了，——

不，自始不曾相識；
我底靈魂中，
自始不曾見到這些呵。
『我尋我所不能得的，
我得著我所不尋的』，
這原來不是我底故鄉呵！

一九二三，四，一六，在紹興。

〔113〕

『龍哥哥，還還我』！

『龍哥哥，還還我！

龍哥哥，還還我』！

這樣高抗激越的呼聲，

我們在四更以後太陽將出以前，

隨處可以聽到；

只消不是酣睡沈沈的。

*

這是報曉的雞聲啊！

這是破夢的雞聲啊！——

〔114〕

不是吧，
雞聲確是雞聲；
然而雞爲甚麼要給人們報曉呢？
　雞爲甚麼要給人們破夢呢？

*

聽著，這高抗激越的呼聲：
『龍哥哥，還還我！
龍哥哥，還還我』！
這分明在那里索債呢？——
索的甚麼？——
原有的雄雞之角。

*

原來古代的雄雞，
是頭上長著一隻角的；
古代的龍，
頭上也只長著一隻角；
他倆底形體雖然不同，
兩隻獨有的角卻是相同的。

*

龍不耐煩再在地上了，
打算到天上遊戲去。
然而上帝不允許呢：
『你要到天上來，
非頭上戴著雙角不可！

〔116〕

一角的龍是辱沒天國的』。

*

倔強的龍，
不聽上帝底禁令，
決意飛騰了；
然而不成呵，
飛騰又飛騰，
畢竟進不得天門。

*

於是龍也無法了，
深恨自己底頭上，
爲甚麼不再長一隻角呢？

如果再有一隻角，
即使上帝不允許，
也許可以衝破天門呀！

*

『不錯，
雄雞底頭上，
不是長著一隻和我同樣的角嗎？
驰雖然長著雙翼，
卻只是願在地上伴著雌雞遊戲的；
我何不向驰一借呢』？

*

龍就開始和雞聯絡了：

〔118〕

『雞弟弟，
咱們頭上長著同樣的角，
咱們拜了把子吧』！
這樣的屈尊，
居然使雄雞感動了。

*

龍哥哥，
雞弟弟，
把子是拜定了。
哥兒倆一遞一聲地叫著，
親熱得很哩，
雄雞得著高貴的朋友了！

＊

龍就開始和雞交涉了：

『雞弟弟，

我打算到天上去旅行一次。

然而天門堅固得很，

非有兩隻角不能衝破；

可恨我只有一隻角呢』！

＊

『龍哥哥，

咱們哥兒倆要好得很；

你底事就是我底事呀！

我這同樣的角，

〔120〕

暫時借給你一用吧；
你回來時還我就得了』！

＊

『可感呵，
雞弟弟，
你底成全我呵！
我於日落後乘著黑衝進天門去，
再於日出前乘著黑回到地上來，
就可奉還你底尊角了』。

＊

幸運的龍，
頭上戴著雙角，

[121]

欣欣得意地飛騰著上天去了。——
漫漫的長夜垂盡了，
然而雄雞底角，
竟久假不歸地一去不返了。

*

一夜兩夜三夜……
龍畢竟不會戴著雄雞底角回到地上來。
於是雄雞急了，
於侵曉時開始叫道：
『龍哥哥，還還我！
龍哥哥，我底角還還我』！

*

〔122〕

天上的龍，
老不回來；
地上的雄雞，
就成了侵曉時叫著索債的習慣了：
『龍哥哥，還還我，
龍哥哥，我底角還還我』！

一九二三，四，一七，在紹興。

我底故鄉

我底故鄉在哪裏？——
我是生長於夢中的，
夢是我底故鄉呵！

＊

我底故鄉在哪裏？——
我是從『未來』旅行到此的，
『未來』是我底故鄉呵！

＊

人人都有故鄉；

〔124〕

漂流的我，
似乎也得創造出一個故鄉來。

＊

夢是創造的，
『未來』是創造的，
我把我底故鄉建築在那裏了。

＊

誰把我驅逐於夢以外呢？
誰把我驅逐於『未來』以前呢？
在現在的清醒中漂流的我呵！

一九二三，五，七，在紹興。

墮淚

向人前墮淚；
也非容易；
且揀無人處，
獨自一淋漓。

一九二八，二，一九，在杭州。

譯泰戈爾園丁集第廿三首

爲甚麼你向那邊坐著，把你底手鐲，在單調的懶散的場所，丁丁當當地教它響著呢？

請在你底水甕裏，滿滿地汲了！是你不可不回家去的時候了！

爲甚麼你用手兒把水攪拌著，時時把那在路旁單調的懶散的場所的誰們偷看呢？

請在你底水甕裏，滿滿地汲了！就向家裏回去吧！

*

早晨經過了——暗的水在那兒流著。

波紋在單調的懶散的場所，交互地笑著私語著。

＊

漂著的浮雲，在太空底涯際那邊底地平綫上聚集著。
它們漂著而把你底臉兒凝視著，在單調的懶散的場所，嫣然地笑著。
請在你底水甕裏，滿滿地汲了！就向家裏回去吧！

〔128〕

譯泰戈爾園丁集第廿四首

你別把你胸中的祕密包藏著了吧，我底愛友呀！
對我吐露了吧，你只是對我！
浮著靜肅的微笑的你呀，溫柔地私語了吧！
我將用我底心聽你底祕密，不是用我底耳。

*

夜深了，屋子都沈默著了；小鳥底窠巢，用濃睡包圍著了。
對我吐露了吧，用狐疑的淚，囁嚅的微笑，甜密的含羞和忍苦，透出你胸中的祕密吧！

譯泰戈爾園丁集第廿八首

你那疑問的眼色，是很可憐的！它們因為想知道我底意義，正在探求著，宛然天上的明月，正把滄海底淺深窺測著似的。

我把我底生命，在你底眼前，徹頭徹尾地一點也不隱瞞也不顧惜地裸露著。這就是你不知道我的緣故。

要是我底生命，是一塊寶石呢；我就碎成一百萬片，因為要給你那頸兒上掛著，能穿成一條鏈子，把它們聯綴起來。

〔130〕

要是我底生命，是一朵勻圓的小的可愛的花呢；我因爲要把它給你那頭髮上插著，能從莖兒上摘取下來。

但無如它是情呢，我底愛呀！ 在哪兒有它底岸，在哪兒有它底底呢？

你不知道這王國底境界；但你依然是它底女王呢。

要是我底生命，是書上的歡樂底一瞬呢；它將苦中得樂地在一微笑裏把花開著，你卽使能把它看出來，可能把它在一瞬間讀出來。

要是我底生命，單是苦痛呢；它將在透明的淚珠裏融化著，能在不言中把那最幽奧最深隱的祕密映出來。

但無知它是愛呢，我底愛呀！
它底快樂也無疆，苦惱也無疆；而且慾望也無窮，財富也無窮呢。
它是你底生命似地和你親密著的；然而你全然地甚麼也不能知道它呢！

〔132〕

靜女

——譯毛詩邶風靜女

一個靜悄悄的姑娘，
流麗而又端莊，
約定等我在城角旁；
——為甚彷彿看不見？
累我搔著頭皮，
遠望著在路上徬徨！

*

一個靜悄悄的姑娘，

嫵媚而又和婉，
她送給我這支紅管：
紅管紅得有光芒，
我愛你能代表——
咱們倆愛情底美滿！

*

你就是她從牧場上，
採回來的柔黄，
實在美麗而又希奇！
不但你自身美麗，
更可愛在你是——
那美人送我的表記！

〔134〕

一九二九，四，二九，在杭州國立浙江大學。

看月之羣

一

人也看月；
山也看月；
水也看月；
一樣的看月。

＊

人是用眼看的；
山是不用眼看的；
水是用全身作眼看的；
一樣的看月；

＊

一樣的看月：

〔138〕

人是自己看月；
山是給人看月；
水是教月自己看月。

*

人也看月；
山也看月；
水也看月；
月也看月：
一樣的看月。

一九二三，六，二，在白馬湖。

二

人影，
在花裏；
花影，
在月裏；
月影花影人影，
都在水裏。

*

月彷彿是看花的；
花彷彿是看月的；
人卻分明是花月雙看的。——
可是看花的月，

(140)

看月的花，
花月雙看的人，
一齊被水看了去了！

*

畢竟只是看月吧！
水啊！
要是沒有月時，
花也無影了，
人也無影了，
待看些甚麼呢？

一九二二，六，二，在白馬湖。

〔141〕

三

明明是今夜明月，
偏愛說是舊時明月。
難道今夜月色，
還是舊時月色嗎？

*

與其說是舊時明月，
何如說是明年明月？
難道今夜月色，
到明年不是舊時月色嗎？

*

且把今夜明月，

〔142〕

當作明年明月看吧！
如果愛看舊時月色，
這不是預看了明年的舊時月色嗎？

*

要看舊時明月，
是不可能的；
要看明年明月，
是或許可能的。
人生只有將來，
怎地儘留戀那過去的舊時月色呢？

一九二二，六，二，在白馬湖。

四

月兒說：
『我是特地給失眠的人們以慰安的；
那些貪睡的人們，
是不會領略我的啊』！

*

果然，
當月兒出來時，
看的人眞是寥寥，
其餘的都沈沈睡去了！

*

然而沈沈睡去的人們，

(144)

何嘗都是不愛看月的呢？——
被太陽底光和熱，
驅使得倦極了，
哪里還有看月的餘閒和福分呀？

*

月兒呵！
如果要給沈睡的人們以慰安，
至少，
得向太陽提出減少驅使權底抗議呵！

*

然而孱弱的月兒，
除了暫時遮住了太陽以外，

只能從窗開縫隙中，
偶然透進微光，
一照睡人底夢境！

一九二二，六，二，在白馬湖。

五

在月光下，
詩人底心是透明的。
月光透過了詩人底心，
更能從詩人底筆墨中，
映到詩人底詩裏。

＊

看不見天上的月，

〔146〕

不妨看詩人心裏的月；
看不見心裏的月，
不妨看詩人詩裏的月。

*

天上的月，
是不能常在的；
詩人心裏的月，
是和詩人同在的；
詩人詩裏的月，
是不但和詩人同在的。

*

但是常人只能用眼看月，

詩人卻能用心看月；
看詩人詩裏的月，
是要眼和心並用的呵！

一九二三，六，二，在白馬湖。

六

把相思散給人間，
自然是月兒底長技了。

＊

然而相思種子，
卻並非月中的出產，
還是在人心裏。

〔148〕

特別的相思種子，
是和日光不大相宜的；
卻禁不起月光底一照。

*

愛受月光的，
無過於相思種子；
愛看月光的，
自然也無過於心有相思種子的人們了！

一九二二，六，三，在白馬湖。

七

用歡笑的眼看，
月是歡笑的；

用悲哀的眼看，
月是悲哀的；
用狂醉的眼看，
月是狂醉的；
用寂靜的眼看，
月是寂靜的。

*

用小兒的眼看，
月是個小兒；
用女兒的眼看，
月是個女兒；
用戀人的眼看，

〔150〕

月是個戀人；
用詩人的眼看，
月是個詩人。

＊

人們眼底變幻吧，
月何曾變幻哪？——
不，月是照徹人心的明鏡，
人心變幻了，
鏡影哪得不變幻呢？

一九二二，六，三，在白馬湖。

八

管住了月，

讓我獨看，
或是只許我底戀人同看；
我這樣想著。
然而月是不容占據的，
只能公諸同好。

*

在地上看，
月好如此；
飛向月中，
不更好嗎？
我這樣想著。
然而月是純粹利他的，

〔152〕

只給地上人看。

*

天空只有孤月，
不嫌單調嗎？
何妨再造一個呢，
如果眞有創造者？
我這樣想著。
然而月是不能有二的，
除非指頭按眼時。

*

月兒那面有光時，
也許更好；

這一面似乎看膩了，
何不給我們看看那面呢？
我這樣想著。
然而月是半守祕密的，
除非移住別行星。

一九二二，六，三，在白馬湖。

九

聽說夜之女王——月兒，
本來和太陽平分晝夜，
而且夜夜長圓的。
那時候的人們，
住在晝夜通明的世界裏。

〔154〕

沒一夜不看那團圞的月兒，
好不幸福呵！

*

後來月兒起了野心了，
嫌自己底世界太寂寞些，
侵略那太陽底領域了。
因而自己底世界，
反常常讓那黑暗統治著；
而且受了不能夜夜長圓的罰，
使人們減少了許多幸福了。

*

這傳說如果是眞的，

月兒固然應該懺悔，
人們也應該給她作贖罪的祈禱呀！
然而有些人正在說，
『競爭是她底美德；
缺陷是她底美容』呢！

一九二三，六，三，在白馬湖。

十

地毯是最愛看月，
而且無夜不看月的；
因為月兒是地毯永遠的唯一的戀人。

*

如果月兒離開了地毯，

〔156〕

地毬底生活，
一定非常騷動，
也許生命就此喪失了。

*

即使並不離開，
而只是不能見月；
地毬面前，
也滿堆了重重的黑暗，
他受那沒光明的痛苦。

*

然而月兒終不免有背向地毬時。
雲咧，霧咧，

〔157〕

又常常支起間隔的屏障，
把黑暗之夜贈給地毯。

＊

這些孽還不是自作的；
當自己底影掩住月兒，
謝絕看月的幸福時，
那眞是地毯應該懺悔的啊！

一九三二，六，四，在白馬湖。

〔158〕

秋之涙之聲

一

秋之淚，
冷落的，
到底還是春之淚溫存啊！

二

情話留不住行人，
悲歌留不住行人，
用你底眼淚吧！

三

我爲甚麼生了眼睛，
能見一切怪象，
又能流淚呢？

〔160〕

四

如果以淚當酒，
誰能飲這淚酒而不醉呵！

五

吸淚成潮的，
也是月嗎？——
許是相思之月。

六

這是淚洗過的面呵，
情人！
和你底吻相接時，
辛呢？酸呢？甜呢？苦呢？

七

在淚泉底上流設個淚閘吧！
然而淚神不服，
終於冒過淚閘而泛溢了。

八

死別的淚，
淚也許殉別而死；
生離的淚，
如果有生一日，
　有離一日，
淚也是常生的。
怎說生離勝於死別呢？

[162]

九

一條頸練，
用淚珠穿成的，
誰能掛在頸上而不散失，
就贈給誰吧！

十

人們慣說：
『淚盡，
繼之以血』。——
血也盡呢？

十一

有如許的淚，

就使渾身都是眼，
也流不及呵！

十二

果然流淚成河，
也許能用相思之船，
載得遠行人歸來吧！

十三

舊時的淚，
殉舊時的花而同萎了；
今日的淚，
又伴今日的花而同發了。
然而太淋漓了，

〔164〕

不留些給明日嗎？——
呀，明日的花前，
自有明日的淚呵！

十四

淚倘然不是噴泉，
爲甚不絕地逆流而上呢？

十五

收回你底淚吧，
眼前不見了承淚的盤了！
別說能發不能收，
收回你底眼淚吧！

十六

痛哭之淚，
能灌溉那歡笑之花。
誰知歡笑之花，
又胚胎著淚種呢？

十七

戀你是怎樣祕密的隱痛，
總瞞不過淚神，
輕輕地給你隨意洩漏了。

十八

給你看吧，
我底心跟著淚出來了！

十九

即使用微笑掩住了淚，
這一笑裏，
早吐露了淚底祕密了！

二十

聽說秋海棠是淚化的。
但我不願我底淚化作秋海棠，
我願化作秋露，
徧灑秋海棠上，
洗去她底憔悴可憐之色！

二十一

從淚眼裏看月，
月有時成雙了。

〔167〕

月啊！
這是你對於流淚者底驕傲嗎？

二十二

秋光射入我底眼底，
彷彿絕入淚井裏的汲淚之綆。
但是我底淚，
只爲悲秋而流嗎？

二十三

銀灰色的淚，
變成玫瑰色了。
這是愛底結晶啊，
何曾是血？

〔168〕

二十四

導源於良心的淚，
是從墮落之淵裏探取良心的雙綆。
然而要是良心霉爛了，
或者已經葬在陰很之魚底腹中呢？

二十五

告訴你：
我底淚如果流盡了，
就是我底心燈之油燃盡了！

二十六

夜來多少孤眠淚，
枕頭是知道的。

但知道的也只有枕頭哩！

二十七

原來淚神也愛旅行的，
連夢境也阻不住他底游蹤。

二十八

這回壓倒江潮底洶湧了，
當我灑淚渡錢塘的時候！

二十九

吐淚不得，
咽淚不能，
在眼輪中旋轉時，
比利錐刺眼還痛啊！

〔170〕

三十

纏綿宛轉的一封書，
如果看時和淚看，
就不孤負那寫時和淚寫了！

三十一

淚底宗教，
是不容易創造的呵！
聽說淚神是淚瀉爲湖，
在自己底淚湖中自沈的。

三十二

便不波的心井也波了，
淚能滴滴滴在人們底心上。

三十三

淚是人身底瀑布吧。
瀑布是起於源頭底不平的；
淚底源頭，
也是不平呵！

三十四

洪水不可湮，
淚也是不可湮的。
無聊的慰藉，
不過是湮洪水的手段罷了！

三十五

『涓涓不塞，

[172]

將成江河」；
塞住了我淚底涓涓，
塞得住人們淚底涓涓嗎？

三十六

恩也淚，
怨也淚，
恩怨分明都是淚。——
忙煞兩行眼淚，
滿腔恩怨一齊揮！

三十七

秋雨似的淚，
和淚也似的秋雨爭流；

秋雨晴了，
淚還沒有晴意。

三十八

寫淚入詩，
詩還是詩；
化詩成淚，
詩便是淚了。——
是淚？
是詩？
——一片！

三十九

這是用淚沁透了的詩啊。

〔174〕

別作詩看，
只作淚看吧，
如其有能下同情之淚的讀詩人！

四十

我不願讀詩人墮淚，
我底詩也未必能使讀詩人墮淚。
但是我底淚，
卻從我底詩裏，
墮在一切能墮淚人底面前了！

四十一

是有情人，
才識得淚底滋味

這一把淚，
把詩心瀉給天下有情人；
這幾行詩，
把淚痕寫給後世有情人。

四十二

淚是自然瀉出的，
不是將詩榨出；
詩是自然寫成的，
也並非用淚堆成。

四十三

淚痕自有乾時；
留在詩裏的淚痕，

〔176〕

總比較地不容易乾吧！

四十四

凡是詩，
都有淚痕的：
沒有分明的淚痕，
也一定有隱約的淚痕作背景呢！

四十五

咳，秋氣重了，
淚痕多了，
詩心苦了！

一九二二，八，一五，在杭州寫畢。

〔177〕

落葉之羣

一

落葉，
只有西風是你長途的伴侶嗎？
流水何如？

二

人家嫌你暴，
我還嫌你弱呢；
風啊，
你終不能掃淨一切！

三

蟲何曾要占領秋底世界呢！——
不得已而發聲，

〔180〕

受了秋氣底逼迫吧！

四

如果不被人吹，
簫也樂得不作聲的。
空空洞洞的簫，
怎禁得抑抑鬱鬱的人，
嗚嗚咽咽地吹呢？

五

利嘴迎人的秋蚊，
大約看不慣世態炎涼，
給人們痛下一針吧！

六

秋雨是能使人愁悶的。
但解了旱苗底枯渴，
也能得農夫底謳歌呢！

七

怎也說：
『飢了！飢了』？
蟬是只慣吸風飲露的哪！
難道司秋之神，
就減了你底風糧露餉嗎？

八

這樣纏縣稠疊，
比冷酷的世情厚得多了。

[182]

誰說秋雲薄啊！

九

合起來吧，
天心一半，
江心一半！
把江心底一半，
補在天心，
月兒不是團圓了嗎？

十

假如我是一顆螢火，
能有微光照著自己，
也不怕被風吹滅了！

〔183〕

十一

似乎遺失了甚麼了；
秋風底重來，
是找尋她所遺失的吧！

十二

小心呵，
秋後之蝶，
別再作欺負秋花的業了！
浮浪的生涯還有幾時呵？

十三

黃昏站在我底面前，
用黑暗之吻吻我了。

〔184〕

請你恕我！
我不燃起孤燈，
怎麼認識你呢？

十四

我感謝送我過江的滾滾秋濤，
但你卻使我冒了幾乎失足的險了！

十五

狂暴，
自然是風雨底不仁。
但大塊底憤懣，
教她怎樣發洩呢？

十六

得到一星兒微笑了，
在我剛掀開夢幕而出的時候。
但黑暗立刻告訴我：
『長夜之幕還橫在你底面前呢』！

十七

不幸的秋蟲呵，
你不過能唱唧唧之歌，
也被籠到城市中而商品化了！

十八

自從秋娘嫁給續娶的自然，
不是她親生的兒女，
都難免遭酷虐的摧殘了。

〔186〕

秋娘呵，
你甘作嫉妒的繼母嗎

十九

『世上該有平的山吧』，
我這麼想著。
秋風說：
『待我來把它吹平了』！

二十

你也是競技運動底選手吧，
受人豢養的蟋蟀呵！

二十一

葉兒隨意辭枝，

似乎是自由了。
然而畢竟也受秋風底壓迫呵！

二十二

無過於早晚霞光底創作了，
能成最綺麗而最變幻的文章的！
哪得不低首而折腰呢，
單調的長虹呵？

二十三

雨後的雷峯塔，
腰以上，
被溼濛濛的秋雲葬了。

二十四

〔188〕

高峯上的石筍們，
別驕矜了！
『你不過是幾塊礁石罷了；
難道我們永遠沈埋嗎』？
海底的兄弟們這麼說呢！

二十五

吹坍不得巨室底樓臺，
秋之颶風呵！
漂沒不得富家底倉廩，
秋之洪水呵！

二十六

蓮子底心，

何以這樣苦呢？——
許是因爲稱底心太玲瓏了。

二十七

促織，
你只能促人們底織嗎？
絡緯似乎在作工了，
然而絡的緯在哪兒呢？

二十八

熱不過的，
要算拜金者底心了。
怎奈黃金之神底面，
比秋風還冷酷何！

〔190〕

二十九

沒入暮雲深處的飛鳥，
你衝破了宇宙底牢籠了嗎？

三十

無晝無夜地悲歌狂嘯，
這也是秋風底自由。
然而人們禁不起你這音樂底犧牲呢！

三十一

海雖然狂得甚麼似的，
總吞不下青天呵！

三十二

一閃一閃的——

眼也似的星，
只愛看那黑暗的夜色；
窺破了夜底秘密不曾呢？

三十三

小小的不曾成熟的生命，
也跟著秋林落葉掉了！

一九二二，八，二七，在蕭山寫畢。

〔192〕

快樂之船之羣

一

一隻快樂之船，
正從痛苦之海底那邊，
對著我駛來。
浮沈在痛苦之海中的我，
望見了桅影，
就大聲呼救；
然而狠心的船主，
竟不理我而駛過去了！

二

倦了的光明，
是以夜為牀而酣睡的。

〔194〕

星啦，月啦，
不過夢境中的表現。

三

心是祕密底巢窟嗎？
爲甚心中毫無祕密底影子呢？
祕密說：
「要是我有影子，
就不成爲祕密了」。

四

死呵，
你也是活著的吧！
不然，

怎能漸漸向我面前來呢？

五

詩人底心，
是不能把詩關住的，
當詩不耐煩住在詩人心裏的時候。

六

這麼多的星，
讓我摘下幾顆何妨呢？——
剛伸出手去，
星兒們齊說：
『別動手啊！
你以爲你底手比眼還長嗎』？

〔196〕

七

永遠……，
人愛說的是——
　『永遠……』。
『永遠』嗎？
一瞬也似的人生，
從哪兒找出個『永遠』來呢？

八

你要求渺小底擴大，
　短促底延長嗎？
你要求缺陷底滿足，
　疑謎底了解嗎？

〔197〕

然而能給你這些的是誰呢？

九

我要一面鏡子，
——能照出我自己的鏡子。
可是這必要是我自己的啊！

十

都是些靈魂不曾相見的陌生人哩，
環繞著我而天天見面，
並且還有稱爲朋友的。

十一

無限的冷酷，
——四面包圍著我的。

〔198〕

我住在冰牢雪獄中嗎？——
不，壁壘森嚴的黃金之陣哪！

十二

眼前有了甚麼了，
這樣俯首沈思似地注視？

十三

我是沒有故鄉的；
到處都是我底故鄉，
到處都是我底異國。

十四

與其唧唧噥噥地讚美，
何如悄悄默默地領略？

明月是不愛嘈雜的喲！

十五

越是熱鬧場中，
偏越覺到可怕的寂寞，
人羣中孤立的我呵！

十六

城基底土，
問層層壓著的城磚說：
『你們幾時崩倒呀』？

十七

蜿蜒屈曲的一線，
似乎也有光明，

〔200〕

這也是蜒蚰生命底痕迹哪！

十八

溫暖是可愛的，
焦灼是可怕的，
情感也似的火呵！

一九二二，一一，二九，在蕭山寫畢。

春底復活之羣

一

失了生命的春，
於今復活了，
從昨夜悄悄的東風裏。

二

燦爛的春底生命，
原是常在的；
不過睡也似地蟄伏一回罷了。

三

夏底長養，
秋底肅殺，
冬底枯槁，

〔204〕

都在春底夢裏。

四

好夢，惡夢，
一重重地驚破了；
幸運的東風，
微倖作了個春底返魂使。

五

誰說去年的春去了？——
無形的春，
無時不在人底心裏。

六

人心裏的春，

隨時可以復活；
爲甚春魂再返，
定要東風？

七

去年揮淚送春時，
『此去幾時回』？
記得將春問。

八

何曾約下歸期？——
只要人心活著，
青春終有再來時。

九

再來——爲甚？——
丟不下的，
不是花花絮絮，
只是惜春心一片。

十

雨妒風欺——不怕，
蝶掠鶯捎——不怕；
卻怕春不再來時，
人心孤寂。

十一

人心底孤寂裏，
原含著無限春心；

人心底纏緜，
春心底纏緜，
——一片。

十二

悔去年放將春去，
被春心拋得人心遠！

十三

如果不放將春去，
人心也許將春賤。

十四

如今復活的春，
在生機垂絕的人心中重現了；

春心底纏縣，
人心底纏縣，
依然一片。

一九二三，二，五，在蕭山。

孤樹之琴

一

離羣的孤樹，
亭亭地對我立著；
分明告訴我：
「咱倆都是無伴侶的」。

二

一夜西風，
當前的秋林也瘦了。

三

似乎要吐盡人間悲憤，
秋雨也替人痛哭，
秋風也替人怒吼。

〔212〕

一九二六，九，三。在江灣。

自記

撕碎了舊夢

——丁寧

再造

秋之淚

賣布謠付印自記——

五年前的舊夢，如今把它撕碎了。

舊夢中所寫出的舊夢之影，是五年以前的五年中的。

如果追溯那反射成這些舊夢之影的影外的夢影，更在五年以前底五年以前。

那些舊夢之影底影外的夢影，在五年以前的五年中，已經成爲舊夢之

〔216〕

影；當舊夢印成以後，舊夢之影也成爲泡影了。在舊夢之影底影外的夢影中，曾經有這麼兩句夢話：

泡疑有影難重覩，
夢到無魂可再銷。

如今的舊夢，正是如此；這寫出舊夢之影的舊夢，還不是撕碎了好嗎!?

並且，印成的舊夢，有些是模糊的，有些是零亂的，有些是顚倒的，有些是舛錯的，有些是駢衍的，有些是漏路的；它底排列，它底剪裁，它底妝束，沒有一點不給人們以不愉快的印象。印成的舊夢，這樣地使人不愉快；舊夢中所寫出的舊夢之影，也未必能給人以愉快的印象了。在舊夢之影底影外的夢影中，曾經有這麼兩句夢話：

貞璞何期呼作石，

焦桐寧復望爲琴！

如今的舊夢，正是如此；這寫出舊夢之影的舊夢，還不是斯碎了好嗎!?

撕碎了舊夢！決心地撕碎了舊夢！

雖然撕碎了，然而——

舊夢，

似乎常在心頭；

這些撕碎了的舊夢之影，不論是甜的苦的辛的酸的，畢竟是舊時生活底斷片，常常在心海中浮沈著，不能把它們完全泯滅了；而且，這些撕碎了的寫出舊夢之

〔218〕

影的舊夢之紙，不論是完整的殘破的無訛的有錯的，畢竟是舊時生活紀錄底斷片，常常在眼簾中隱現著，不忍把它們完全摧燒了。於是，斟酌著，剔除了些，添補了些，移動了些，訂正了些，重新排列，重新翦裁，重新妝束，把撕碎了的舊夢，作成現在的——

丁寧

再造

秋之淚。

至於寶布謠，本來是舊夢底餘影，在舊夢中已經是另成一羣的；撕碎了舊夢以後，也依舊使它另成一羣了。

舊夢，

假乎常在心頭；
但好的不多，
有幾個值得重溫一下？
不敢說撕碎了舊夢以後，這些留著在丁寧再造秋之淚中的，都是好的舊夢，都是值得重溫一下的舊夢；但是雖然不都是好的，卻都是舊的；雖然不都是值得重溫一下的，卻都是常在心頭的。
五年前的舊夢，如今把它撕碎了；五年前的五年中的寫出舊夢之影的舊夢，如今把它撕碎而作成現在的丁寧再造秋之淚了。此後要重認五年前的五年中的舊夢之影，在丁寧再造秋之淚中了；要重認五年前底五年前的舊夢之影底影外的夢影底反射，也在丁寧

〔220〕

再造秋之淚中了。

一九二九年十一月一日，大白在首都。

民國十九年一月初版　實價七角

秋之淚

著作者　劉大白
印刷者　美成印刷所
發行者　開明書店

總發行所　上海四馬路望平街口　開明書店